나의 가족 이야기

나의 가족 이야기

발 행 | 2023년 12월 19일
저 자 | 2023년 갈전초등학교 3학년 친구들
펴낸이 | 한건희
펴낸곳 | 주식회사 부크크
출판사등록 | 2014.07.15.(제2014-16호)
주 소 | 서울특별시 금천구 가산디지털1로 119 SK트윈타워 A동 305호
전 화 | 1670-8316
이메일 | info@bookk.co.kr

ISBN | 979-11-410-6098-5

가족 이야기

나의

2023년 갈전초등학교 3학년 친구들 지음

CONTENT

이 시집을 펴내며   6

첫 번째 마음   3학년 1반 22개의 마음   7

두 번째 마음   3학년 2반 22개의 마음   31

세 번째 마음   3학년 3반 22개의 마음   55

네 번째 마음   3학년 4반 21개의 마음   79

다섯 번째 마음   3학년 5반 21개의 마음   101

여섯 번째 마음   3학년 6반 22개의 마음   123

일곱 번째 마음   3학년 7반 22개의 마음   147

이 시의 **주인공**인 여러분을 칭찬합니다.

여러분은 모두 시인입니다.
여러분의 맑고 따스한 시선은 시에 그대로 녹아 있습니다.
가족을 사랑하는 마음이 확장되어 다른 사람을 사랑하는 사람으로 성장할 수 있는 예쁜 씨앗이 되었으면 좋겠습니다.
편집하는 내내 여러분의 따스함을 느낄 수 있어서 너무 행복했습니다. 이 행복이 시를 읽는 모든 이들에게 전달되기를 바랍니다.

'2023년을 함께 보낸 우리들을 기억합니다.'

2023년 갈전초등학교 3학년 담임교사 일동

첫 번째 마음 3학년 1반

참 좋은 나, 더 좋은 우리

여행 바이러스

강두현

여행 가기 전
콜록콜록
내가 아파

여행 갔을 때
콜록 우웩
동생도 아파

여행 가기 전
아파서 슬프고
링거 맞고도 또 아픈

여행 바이러스

서로를 사랑하며 함께 배우는

행복한 우리 가족

강서율

우리 가족은
항상 울고 웃고 하지만
그래도 언제나 행복한 우리 가족

배려하고 노력하는
우리 가족은 정말 행복해

사춘기의 시작

김리안

끄아악!!!
싫다고!!!
큰 언니와 엄마는
개와 고양이처럼 으르렁으르렁

공부해!!!
알아서 한다고!!!
엄마는 나처럼 소리를 꽥꽥!!
큰언니는 고릴라처럼 발을 쿵쾅!!

결국 내가 한 마디
그만!!!

웃음 많은 우리 가족

김아현

하하하하
호호호호
보드게임할 때도
웃음꽃이 피고
TV 볼 때도
웃음꽃이 피고

우리 가족은 웃음이 많은 가족

불행의 독감 가족

김유성

나는 독감에 걸렸다
엄마도 힘들고
나도 힘들다.

나는 죽어 간다.
풀이 죽어 간다.

나는 수액을 맞고 나았지만
형아가 아프기 시작.

불행의 독감 가족.

엄마가 쓰러진 날

김윤서

주룩주룩
나의 머리 위에서 비가 내렸다.
엄마가 쓰러지셨다.

내 머리 위에
바위가 퉁하고 떨어졌던 날.
세상이 무너졌던 날.

고양이는 말을 하고
사람은 야옹야옹 하는 것 같은
혼란스러웠던 날.

너무 긴장되는 단원평가

김재겸

시험지 나오기 1분 전이다
하
가슴이 쿵쾅쿵쾅거린다

너무 다행이다
95점이다
엄마한테 전화해야지

엄마, 나 시험 95점 맞았어요!

오 잘했으니까 맛있는 거 해 줄게

와 신난다!

즐거운 여행

김채윤

비행기를 타고 날아가니
깜깜한 밤

다음날 가족과
첨벙첨벙
물놀이를 했다
어푸어푸

즐거운 가족 여행

흑역사

김태경

나랑 가족들이 운동을 하러 갔다.
씽씽!
자전거를 탔다.

길을 잃어버렸다.
울었다.

엄마 얼굴이 보였다.
그래서 또 울었다.

관심 없는 나

민도빈

주말 되면
폰만 톡톡 우리 형

아빠가 공부하라고 버럭 화냈다

근데
싸움이 너무 뻔해서
관심 없는 나

동생이 아픈 날

박서빈

동생이 입원을 했다
우리 가족 모두 걱정한다
동생도 아프다고 으앙으앙

동생이 없어서 그런지 집안도 조용하다
괜히 내 마음속에서도 걱정이 송글송글

빨리 나았으면 좋겠다

테니스 공에 맞은 일

박서준

엄마랑 아빠랑
테니스 채로 공을 탁탁

아빠가 친 공이
내 머리에 쿵!

명. 중.

여행가는 우리 가족

박재형

우리 가족끼리
여행을 간다

자동차가
부우웅 부우웅
계곡에 도착했다

물놀이를 하며
첨벙첨벙
물이 움직인다

정말 재미있다

수학 경시 대회

변채은

언니가 나간 수학 경시 대회
저번에는 1등

두근두근
이번에는 못 봤다고 한다

거의 하위권 같아

밥 먹으면서 운다

내가 엄마한테 말 하려고 하면
괜히 혼난다

나 놀리더니 꼴 좋다

가족

송지호

단 하나밖에 없는 우리 가족
제일 아끼고 소중한 우리들의 가족

언제나 내 곁에 있는
없으면 안 될 존재
힘들 때나 우울할 때 위로해 주는 가족

가족이 없어진다면
나도 없어지는 거 같은 느낌이 든다.

그만큼 없어서는 안 될 소중한 존재.

최악과 지옥의 성적표

심예성

아빠는 폰에 빠져서
아무 말도 하지 않지만
엄마는 내 성적표를 보고
엄청 혼낸다

이럴 땐 우다다다다다다
도망치는 게 제일 우선!

제발 이 시간이 좀 지나가길

궁금한 우리 가족

안현서

우리 엄마는 호호호
하고 웃고
우리 아빠는 하하하
하고 웃고
우리 여동생은 히히히
웃는다

나는 어떻게 웃을까?

우리 엄마는 지글지글
요리하고
우리 아빠는 타닥!
컴퓨터 하고
우리 여동생은 깔깔
거실에서 논다

나는 무엇을 할까?

웃음꽃 가족

이나경

히히하하
아빠가 전화하며 웃음꽃 피네

하하호호
엄마가 날 보고 웃음꽃 피네

히히히히하하하하
내가 티비 보고 웃음꽃 피네

우리 가족 웃음꽃이
집안 가득 퍼져 나간다

환장의 나라 꿀잠 가족

이시진

우리 가족이 꿀에 찍어서 가래떡을 먹는데
내 강아지가 가래떡을 뺏어간다

우리 가족이 타닥타닥 전력 질주로 뛰어서
강아지를 잡았다

아빠가 담배를 피우러 나오는데
아래층 할머니가
'고마 뭐 때문에 저녁 9시에 타닥타닥 거리노!'

그래서 우리는 꿀을 먹고
쿨쿨쿨 소리를 내며
가래떡 잠을 잤다

티격태격 우리

이은송

티격태격
언니랑 싸우는 소리

그만 싸워!
엄마가 말리는 소리

매일 들리는 소리

수학 너무 싫어

이은율

나는 수학이 너무 싫어
오늘은 수학 시험 치는 날

내 점수는?
음
오늘도 잘 나오지는 않았군
두근두근
엄마가 뭐라고 하실까?

수학 공부 하자
엄마랑 수학 하자
엄마 목소리
알겠어요

다음부터는 좀 더 열심히 해야겠다

속상한 나

제성모

엄마가 나에게
버럭 소리를 질렀다

그렇게 공부할 거면 집에서 공부하지 마

나는 고민이 생겼다
음
집에서 공부할까 말까

나는 공부 계속 할거야!

　　서로를 사랑하며 함께 배우는

두 번째 마음 3학년 2반

반짝반짝 빛나는 나, 너, 우리

사랑해! 우리 가족!

강성민

참 다양한 우리 가족

나는 나는 사랑 사랑
가족을 사랑하지

엄마 엄마 예뻐 예뻐
얼굴이 완전 공주지

아빠 아빠 멋져 멋져
어딜 가든 다 멋지지

큰 누나 큰 누나 머니 머니
어딜 가든 무엇이든 사주지

작은 누나 작은 누나 착해 착해
해줄 수 있는 건 무엇이든 해주지

소리 지르는 아침

강한결

엄마가
일어나라고 소리친다

동생은
5분만 더 잔다고 말한다

나는 동생에게
야! 빨리 일어나라고! 말한다

형도 동생에게
그러니까 지각하지! 말한다

동생은 우리에게
어쩌라고! 소리친다

형, 엄마, 나, 동생은 맨날 소리 지른다

신나는 제주도

김도윤

제주도에 갔다
제주도에 도착했다

엄마가 배고파하셨다
아빠도 마찬가지였다

해산물을 먹고 간식을 샀다
숙소로 가서 자다가 일어났다

국수도 먹고 한라산 초콜릿을 먹었다
너무 맛있었고 너무 재미있었다

하하호호

김수린

우리가족 다섯식구
하하호호 화목한 우리 가족

우리가족 외식할 때
두근두근 콩닥콩닥

삼겹살 빨리 먹고싶다
삼겹살 맛있게 먹고나면
후식은 아이스크림

하하호호 행복한 우리 가족

바쁜 아침

김태린

쏴아아아
새벽에 일어나서 바삐 샤워하는 우리 아빠

보글보글 지글지글
음, 맛있는 냄새
벌떡 일어나서 아침밥하는 우리 엄마

반쯤 눈 감긴 얼굴로
밥 먹는 언니와 동생의 얼굴

나도 부랴부랴 빨리 밥 먹어야지

시끄러운 우리 가족

김하린

시끌벅적 우리 엄마
나 혼내는 소리

깔깔 웃는 우리 동생
핸드폰 보는 소리

조용한 우리 아빠
컴퓨터 하는 소리

이상한 소내는 나
숙제하는 소리

으앙앙 우는 나
엄마한테 혼나는 소리

우리 가족은 정말 시끄럽다

재밌는 제주도

민채아

제주도에 갔다
제주도 함덕해수욕장에서 놀았다

동생들이 수영할 때마다 펄떡펄떡
펭귄처럼 뒤뚱뒤뚱 걷는 동생
물속 안은 물고기가 뒤뚱뒤뚱, 샤라라랑

말을 타러 승마장에 갔다
말이 다그닥 다그닥 뛴다
꼬리를 샬랑샬랑 흔든다

동생이 카페 의자에서 잔다
쿨쿨 동생이 잔다
귀여운 내 동생

시끌벅적 우리 가족

박윤서

우당탕탕
동생과 내가 싸우는 소리

고래고래
엄마가 말리는 소리

타다닥
아빠가 컴퓨터 두드리는 소리

시끌벅적 우리 가족

사춘기 누나

유재혁

누나는
엄마한테도 짜증
아빠한테도 짜증

누나는 사춘기 같다

누나는
엄마한테 화장품 사 달라고 하고
아빠한테 파우치 사 달라고 한다

누나는 사춘기 같다

신나는 일본 여행

이예원

일본 간다고 새벽부터 팔딱팔딱
언니와 내 가슴이 두근두근
이모, 사촌 언니 만나 드디어 비행기!

드디어 첫 가족 일본 여행!
가족과 호텔 조식으로 밥 냠냠!
놀이공원 갔다 와 놀다 보니
벌써 집 갈 시간이?!
언니와 나는 정말 아쉬웠다 ㅠㅠ

코! 소리

이정우

엄마가 잘 때 콧소리는 자동차 달리는 소리
시끄러워서 못 자겠다

아빠가 잘 때 콧소리는 비행기 추락하는 소리
너무나 시끄러워서 못 잔다

동생이 잘 때 콧소리는 누리호 5대 가는 소리
나 죽겠다 살려줘라

우리가족 콧소리 때문에
내 귀가 꾀꼬닥 한다

내가 잘 때 콧소리는 토마스기차 엔딩곡 소리
너무 조용해서 좋다

우리가족 방귀소리

이주원

우리 아빠 방귀 소리는 엄청 커
들려줄까?
부우우우우우웅!!

우리 엄마 방귀 소리도
들려줄까?
푸쉬쉬......

나의 방귀 소리는
피슉!

우리 가족 방귀 소리는
클 때도 있고 작을 때도 있다
또 향기나는 방귀도 있었다

우리집 대장

이채은

우리 엄마는 요리 대장
마음에 안 들 때도 있지만
맛있는 엄마의 요리
달그락 달그락 보글보글

우리 아빠는 설거지 대장
그릇을 깰 때도 있지만
깔끔이 우리 아빠
쨍그랑 쨍그랑 달그락 달그락

우리 오빠는 운동 대장
오빠가 공을 던지면
골대에 슝 하고 넣는다
통통통 휙

나는 공부 대장
숙제를 20분만에
쓱슥쓱 착착

코 고는 소리

이태기

우리 아빠가 코 고는 소리는
"드르렁!!! 쿨쿨...! 드러렁!!! 쿨쿨...!"

우리 엄마가 코 고는 소리는
"드러렁! 쿨! 드러렁! 쿨!"

우리 동생이 코 고는 소리는
"드르르르렁! 쿨!! 드르르렁! 쿨!!"

내가 코 고는 소리는 없다
난 이를 간다

웃음 가득 우리 집

이효주

우리 가족이 웃으면
동생이 재미있는 말, 웃긴 행동을 한다
우리 가족은 웃음이 가득해요

엄마 하하하!!!
아빠 하하흐!!!
동생 흐흐흐!!!
나는 푸하하!!!

심부름

정서연

엄마가 언니한테
심부름 시키면

언니는
"아빠 들었지?"

아빠가 듣고 나서
"서연아 들었지?"

그럼... 나는?
시킬 사람이 없네?
결국 동생인 내가 심부름 하네

잔소리 엄마

최유찬

엄마가 말한다
들어가서 숙제해라
다했으면 책 봐라
엄마의 잔소리 때문에 학습지를 다했다

엄마가 또 말한다
목욕하고 양치해라

목욕이 끝나고 엄마가 다시 이야기를 했다
약 먹어! 안돼!

등산

최지안

등산가는 날이면

엄마는 좋아 좋아 좋아
나는 싫어 싫어 싫어
아빠는 일이 있어서 못간다

우리 가족은 이렇게
등산 갈 때 기분이 다르다

주말 아침

하소율

엄마는 아침 일찍 일어나
탁탁탁 요리한다

아빠는 샤워하고
요리를 기다리고

오빠는 주말이 되면
새근새근 늦게 일어난다

나는 매일 늦게 일어나는데
엄마가 자꾸 시끌벅적 깨워서 피곤하다

사계절

하윤원

아빠는 여름
일 년내내 반팔 반바지

엄마는 봄
항상 웃음꽃을 피우지요

동생은 겨울
매일매일 크리스마스 크리스마스

나는 가을
내 배경은 단풍잎
단풍만 보면 사진을 찍지요

우리 가족은 언제나 사계절

엄마 샐러드

한정현

오늘은
엄마의 정성이 들어간 샐러드를 먹는 날

엄마 상추 한입
나도 한입

엄마가 상추를 아그작 아그작
나는 사과도 아그닥 아그작

즐거운 엄마의 샐러드

하나씩은 꼭 잘하는 우리

허재원

엄마는 슥슥 몇 시간 기다리면
짠! 하고 그림이 완성되지

아빠는 집에 물이 새는 구멍을
뚝딱뚝딱 고치지

우리 누나는 탕탕탕 줄넘기를 잘하지

이모는 어푸어푸 수영을 잘하지

나는 뻥! 뻥! 공을 차고 있지

서로를 사랑하며 함께 배우는

세 번째 마음 3학년 3반

고운 말로 서로를 배려하며,
책으로 생각을 키우는 어린이

오목

강찬열

흰 바둑알 다섯 개
검은 바둑알 다섯 개
서로서로 내가 먼저야

엄마 한 알
나 한 알
신중하게 놓아 본다

승부의 세계는
냉정하다는데
처절하게 지고 만다

오목조목 놓인
바둑알을 보면
다음에는 꼭!
이기고 싶다

내 동생 아이스크림

고준호

동생 손에 든 아이스크림 먹고 싶어
"야, 저기 도깨비다!"
몰래 한 입 뺏어 먹고

동생 얼굴 쳐다보고
또 한 입 베어 먹고

동생은
엄마 얼굴 쳐다보고
"앙앙!"

동생 얼굴은
눈물 콧물 뒤범벅

언니

김교빈

여드름 핀 언니의 얼굴
책가방은 날이 갈수록 무거워
그래도 학교는 재미있는 이야기들로 가득하고
친구들과 함께 놀 때 언니의 미소가 빛난다
숙제는 공동의 모험
같이 풀면 언니의 짜증도 있지만
그래도 나에게는 소중한 친구다
그래도 나는 언니의 힘이 되고 있다
작은 용기와 따뜻한 말 한 마디로
언니와 함께 하는 모든 순간이 소중해
언니야, 앞으로도 계속해서 함께 웃자
사랑해, 언니

개구쟁이

김서윤

집에 오자마자
우다다다 뛰어가 리모컨 잡는
개구쟁이 내 동생

학교에서 만나면
신나서 안기는
개구쟁이 내 동생

집에 먼저 오면
숨어 있다 나를 놀래키는
개구쟁이 내 동생

귀엽고
사랑스러운
개구쟁이 내 동생

산책

김선우

언제 가도
누구랑 가도
즐거운 산책

아빠랑 가면
도란도란 얘기 나누고
엄마랑 가면
예쁜 낙엽 줍고
동생이랑 가면
신나게 달려본다

언제 가도
우리 가족과 함께라면
행복이 가득한 산책길

말썽꾸러기

김소유

6살 내 동생
놀면 짜증 내고
이불로 집 만들면 말썽 피우고
술래잡기할 때는 술래라고 울고
자기 마음대로 안 되면 울다가 엄마한테 혼나고
장난감 없으면 찾아 달라고 조르고
내가 숙제할 땐 놀아달라고 조르고
잘 때는 울면서 물 달라고 하고
이리 보고 저리 봐도
6살 내 동생은
말썽꾸러기

깜이

김제준

귀여운 우리 까미
집 앞에 누가 오면
왈왈왈 계속 짓는다

귀여운 우리 까미
무서우면 깨깽깽
꼬리 내린다

밥을 많이 먹는 우리 까미
배 고프면 컹컹컹
밥 달라고 조른다

까미는 언제나 귀엽다

계란밥

박규빈

나는 아침마다
아빠의 계란밥을 먹는다
매일 아침 먹는데
매일 아침 맛있다

맛의 비결은
뜨끈뜨끈 밥 반 공기
고소한 참기름 한 숟갈
반숙 계란 하나
그리고 마지막으로
아빠의 사랑 한 숟갈

나는 아침마다
아빠의 사랑을 먹는다

마법의 세상

박민채

사람들은 죽으면
어디로 갈까?
사람들은 천국에 가지 않을까?

아니면
아주 나쁜 사람들은 지옥에 갈거야

사람들은 어쩌면
마법의 세상에 갈 수도 있어
자신이 상상하던 세상으로 말이야

내가 만약
마법의 세상으로 간다면
우리 가족과
오래오래 행복하게 살거야

내 동생

내 동생은 엄마 없으면 응애응애
형아 있으면 하하호호
아빠 오면 와다다다
할머니 오시면 포옥 안기고
모두 모이면 방긋방긋 웃는다

똥 기저귀 갈려 하면 응애응애
밥 먹으면 냠냠 쩝쩝
노래 들으면 키득키득
잠 잘 땐 코코낸낸
쑥쑥 잘 크는
사랑하는
내 동생

목소리

송유빈

장난감은 오늘도 힘들다
"안돼, 내가 먼저 잡았어!"
둘째 동생과 셋째 동생의
우렁찬 목소리

"그만 여기로 나와!"
엄마의 우렁찬 목소리

"야, 왜 가져가!"
오늘도 동생에게 짜증내는
나의 우렁찬 목소리

"다녀올게!"
아빠의 우렁찬 목소리

"잘 다녀오세요!"
우리 가족의 아름다운 목소리

서로를 사랑하며 함께 배우는

나누기

오연서

우리 가족은
따뜻한 인사를 건네며 정을 나누고
서로를 안아주며 온기를 나눈다
맛있는 것을 먹으며 웃음을 나누고
서로 도우며 행복을 나눈다

엄마는 솔솔 맛있는 밥을 짓고
아빠는 뽀득뽀득 깨끗이 청소를 하고
동생이랑 나는 꼭꼭 숨바꼭질하고

평범하지만
매우 특별하고 소중한
우리 가족

엄마

이다인

어떨 때는 우리 엄마 호랑이
어흥어흥, 너 혼날래?
어떨 때는 우리 엄마 토끼
깡충깡충, 이게 뭐야?
어떨 때는 우리 엄마 사슴
토닥토닥, 참 잘했어!
어떨 때는 우리 엄마 돼지
꿀꿀, 먹을 거 더 없어?
어떨 때는 우리 엄마 천사
우리 딸, 사랑해♡

모험

이지성

우리 아빠는 새벽부터
바나나 싸 들고
회사로 모험을 떠나고

우리 엄마는 아침 일찍부터
월급을 기다리며
직장으로 모험을 떠나고

나도 엄마따라 집을 나서
친구가 기다리는
학교로 모험을 떠난다

월화수목금 매일매일
우리 가족은
모험 떠나기 바쁘다

아빠

이지원

우리 아빠는
어떨 땐 사랑꾼
"우리 딸, 사랑해!"

어떨 땐 하이에나
"야, 너 혼날래?"

어떨 땐 알람 시계
"일어나, 일어나!"

어떨 땐 나무늘보
느릿느릿 "1분만 더."

서로를 사랑하며 함께 배우는

강주 연못

이한울

쌀쌀한 연못
스산한 연못
겨울이 되니
마치 폐가 같다

꽃이 모두 져 있는 연못
느낌이 으스스한게
마치 묘지 같다

하지만 시간이 흘러 봄이 되면
이 꽃이 모두 다시 필 거니까
기쁘기도 하다

꽃이 피는 봄이 오면
엄마, 아빠와 연못에 와 봐야지
따뜻한 연못을 보러 와야지

우리 가족

장민준

우리 가족은 모두 다섯 명
엄마, 아빠, 나 그리고 동생 둘

첫째인 나는 언어에 관심이 많다
둘째 동생은 과학과 영어를 배운다
셋째 동생은 네 살이고, 내년에 유치원에 간다

엄마는 셋째 동생 돌보느라 바쁘시다
아빠는 건축 안전 관리자다

나는 가족이랑 함께라서 참 좋다

서로를 사랑하며 함께 배우는

아빠 식당

정지민

메뉴판이 따로 없는
우리 아빠 맛깔 식당

내가 먹고 싶은 것은
다 다 다 해 주는
무한 행복 식당

오므라이스
라면
김치찌개
된장찌개

메뉴판이 없어서 더 좋은
아빠표
무한 사랑 식당

우리 아빠

최연희

일이 많은
우리 아빠
주말에도 일을 하러
회사에 간다

어떤 날에는
저녁 늦게 오시고
어떤 날은
회식이다

회식이 있는 날은
엄마가 속상하다
나도 아빠를 기다린다

그래도 나는
열심히 일하시는
아빠가 참 좋다

우리 엄마

최준선

우리 엄마는 상냥하다

우리 엄마는 예쁘다

우리 엄마는 바쁘다

우리 엄마는 잔소리도 조금 한다

우리 엄마는 뭐든 열심히 한다

나는 그래서

우리 엄마가

참~

좋~

다!

자전거 타기

황로미

오랜만에 남강으로
자전거를 타러 간다

시원한 바람 맞으면
박하사탕 향기가
코 끝에서 느껴진다

엄마 아빠와 함께 하는
자전거 타기는 언제나 즐겁다
다리가 아파도 그래도 즐겁다

조금 쉬었다가
다시 출발!
집으로 돌아오는 길은
왠지 뿌듯하고 행복하다

아빠는 요리사

황예림

일요일 아침밥을 책임지는
우리 아빠
하루는 동생이 좋아하는
크림 스파게티
또 하루는 아빠가 좋아하는
닭 가슴살 샐러드
또 어떤 날은 엄마가 좋아하는
김밥과 라면
오늘은 내가 좋아하는
로제 떡볶이
우리 가족이 행복해지는
일요일 아침밥

서로를 사랑하며 함께 배우는

네 번째 마음 3학년 4반

가치 씨앗으로 마음에 꽃을 피워요!

우리 가족

이시윤

우리 가족은 대단하다.

엄마는 슉슉
빨리빨리 집안일을 마친다.

아빠는 척척
내 공부를 가르쳐 주신다.

누나는 불끈
힘이 최강 파워다.

동생은 쑥쑥
키가 벌써 내 턱까지 왔다.

나는 활짝
꿈의 새싹이 무럭무럭 자란다.

동 생

송시훈

동생이란 맨날
내가 노는 걸 뺏어가는 사람

동생이란 맨날
내가 양보해야 하는 사람

동생이란 맨날
날 놀리는 사람

그래도
내가 심심할 때
제일 먼저 생각나는 사람

누가 뭐래도
나에겐 너무나 귀여운
내 동 생

슈퍼 가족

황윤서

우리 가족은
누가 봐도 대단한 가족

하루 12시간 공부하는 우리 오빠
힘들지도 않나?

뜨거운 음식도 잘 만지는 우리 엄마
안 뜨겁나?

소파에 누운 지 3분 만에 잠드시는 우리 아빠
어떻게 그런 일이?

아무튼 우리 가족은
슈퍼 가족

언니

박서연

언니가 공부를 한다.

샤프 소리만
딸각딸각, 사각사각

나도 같이
조용해진다.

시험 기간
부쩍 축 늘어져 있는 우리 언니.

언니가 너무 무리하지 않았으면 좋겠다.

언니

조은서

항상 고마운 우리 언니

모르는 문제 척척 알려줄 땐
고마운 선생님

친구와 싸운 나를 위로해 줄 땐
고마운 내 편

없으면 안 되는
소중한 우리 언니

우리 엄마

현혜빈

우리 엄마는 오늘도 바쁘시다.

우르르 쾅쾅 세찬 비가 내려도
매일 같이 엄마의 일상은 반복된다.

집에서도 엄마는 바쁘고
나는 심심하다.

또 밤이 되었다.
엄마는 하루하루가 재미있을까?

우리 집

신아윤

부엌에선 샤샤샤
우리 엄마의 대단한 요리 솜씨

거실에선 윙윙
우리 아빠 청소기 돌리는 소리

방에선 쓱쓱
우리 오빠 공부하는 소리

우리 집에 하하호호
웃음을 주는 나

항상 행복한 우리 집

서로를 사랑하며 함께 배우는

엄마

우승현

내 마음을 다 알아주시는
우리 엄마는 천사

냠냠 쩝쩝
맛있는 요리는 기본이고

야호!
갖고 싶은 선물도 사주신다.

우리 엄마는 역시 천사다.

오빠

임서윤

오빠는
느릿느릿 거북이
도와달라고 하면
느릿느릿 거북이처럼.

오빠는
조용한 나무늘보
책 읽을 땐 아무 소리 없이
나무늘보처럼.

우리 가족

신승우

우리 아빠는
내가 집에 오면
따뜻한 품에 안아주고

우리 엄마는
사랑이 담긴
맛난 저녁을 차려준다네

엄마 아빠의 아들로 태어나
정말 행복해

나도 멋진 어른이 되고 싶다네

우리 언니

여라온

우리 언니는
개구쟁이

나에게 메롱 놀리고
내 간식도 뺏어 먹지만

우리 언니는
언제나 내 편

무심히 지나가며
칭찬해 주고

알고 보면
우리 언니는
멋진 언니

대단한 우리 엄마

김호연

우리 엄마는 대단하다.

꿀잠을 주무시다가도
알람 소리에 번쩍!

어느새 우리 집 식탁 위엔
맛난 아침밥이 가득

우리는 눈 비비고 일어나
냠냠 쩝쩝 먹기만 하는데

우리 엄마는 정말 대단하다.

강아지

노경민

월월
우리 집 강아지 짖는 소리

안으려고 하면
으르륵

으차! 하고
들어 올리려 하면
결국 터지는 나의 울음소리
뿌에엥

놀란 엄마 달려오면
나는 그제야 안심이 된다.

우리 강아지 월월 소리
때론 너무 싫어도
아침엔 내 알람 시계보다 낫다.

강아지 두유

박찬규

뽀송뽀송
부드러운 갈색 털을 가진
우리 두유

왕왕 짖어대는 소리에
가끔은 답답하기도 하지만

살랑살랑거리는 꼬리를 보면
미워할 수 없다.

엄마

백지후

엄마의 잔소리를 들었다.

그 잔소리가 너무 싫지만
왜 그런 말을 하시는지 잘 안다.

그래서 엄마에게 잘하려고 하지만
내 말은 삐죽
내 몸은 청개구리다.

그때마다
나는 후회를 한다.

우리 가족

김예린

매일 꼭 한번 나를 놀리는 언니
그래도 언니가 옆에 없으면 심심하다.

매일 맛난 밥 차려주는 엄마
냠냠 쩝쩝 식사 시간이 행복하다.

어려운 영어도 척척 알려주는 아빠
모르는 게 있으면 언제나 아빠를 부른다.

우리 가족

심하윤

우리 가족 힘든 하루에 지쳐
피곤할 땐 시무룩해도

기분 좋게 웃으면
하하 호호 함께 신나는 날

띵동띵동
택배 소리는
우리 집 웃음벨

매일매일
알록달록
우리 가족

누 나

이준서

손을 다쳐
왼손에 깁스를 한 누나

불편하진 않나 걱정되는데
누나는 오히려
다친 내 다리 걱정을 한다.

내가 배고프면 간식 사주고
어려운 공부도 척척 도와주는

천사 같은 내 누나

나의 애칭

정성욱

아빠는 나를 '퉁기야' 하고 부르신다.
엄마는 나를 '욱님!' 하고 부르신다.
형아는 나를 '야!' 하고 부른다.

우리 가족은 모두 나를 너무 사랑하나봐.
모두 애칭으로 부르니 틀림없겠지?

그런데
'야'도 애칭인가?

나의 가족

강지안

화내면 무서운 호랑이지만
나와 동생에겐 최고의 친구
우리 아빠

잔소리가 가끔 싫긴 하지만
정리 솜씨 완벽한
우리 엄마

때론 자기 마음대로여도
상황극 하나는 최고인
우리 동생

조용하긴 하지만
그림 솜씨는 최고인
나

우리 집에 사는 동물 가족

윤윤수

나는 우리 집에 사는 말
매일 쿵쿵 뛰어다닌다.
엄마는 항상 말씀하신다.
'쿵쿵대지 마.'

누나는 우리 집에 사는 호랑이
고기를 좋아한다.

엄마는 우리 집에 사는 닭
아침 기상을 알린다.

아빠는 우리 집에 사는 곰
겨울잠에 빠져있다가도
회사로 출근한다.

늘 서로를 지켜주는
든든한
우리 가족

다섯 번째 마음   3학년 5반

마음을 만나며,
아름다운 가치를 꽃 피우는 어린이

가족 소리

구건도

차를 타고 일하시러 가는
아빠
"부르릉 부르릉"

빨래를 너는
엄마
"펄럭 펄럭"

게임 하는
동생
"띵띵 또롱"

공부하는
나
"쓱싹 쓱싹"

우리 가족 아침

김가은

"부우우웅"
우리 아빠 아침에 회사 가실 때
차에 시동 거는 소리

"바쁘다. 바빠."
우리 엄마 아침에 회사 가실 때
말씀하시는 소리

"으아아~, 학교 가기 싫어~!"
내가 아침에
학교 가기 싫다는 소리

"엄마! 저 학교 갔다 올게요!"
오빠가 아침부터
학교 간다고 바쁜 소리

우리 가족 아침 소리

우리 가족 자는 소리

김라율

우리 아빠 소리는
코 고는 소리
크르렁 크르렁

우리 엄마 자는 소리는
꿀잠 자는 소리

내 동생 자는 소리는
이 가는 소리
드득 득득

나 자는 소리는
몸부림치는 소리
쿵쿵쿵 데루르륵

가족의 잠

김시우

드르렁 드르렁
아빠는 고릴라

하휴 하휴
엄마는 토끼

후하 후하
나는 말

푸 푸
동생은 다람쥐

가족

김재민

아주 아주
소중한 가족
우리가 지켜주어요

엄마는
음식 요리사

아빠는
엄마의 보디가드

누나는
멋쟁이

동생은
귀염둥이

우리 가족을 다시 한번 되돌아볼까?

서로를 사랑하며 함께 배우는

우리 가족을 닮은 동물은?

김하린

우리 아빠는
잠자는 나무늘보

우리 엄마는
예쁜 앵무새

우리 동생은
장난꾸러기 원숭이

나는 나는
깡충깡충 토끼

너희 가족은 무슨 동물을 닮았니?

우리 가족의 일상

남서우

아빠의 일상은
오늘도 내일도 모레도 회식
빨리 보고 싶은데…….

엄마의 일상은 맨날 커피, 커피
커피 마시고, 일, 일, 일하고
빨리 보고 싶다구!!

언니의 일상은
맨~~날 학원
학원 다니면서 점점 더 무뚝뚝

내 동생의 일상은
맨~~날 유치원 갔다 와서 핸드폰만!!

일상을 조금만 고치면
행복해질 텐데…….

세상에서 제일 소중한 가족

박은우

나에게 가장 소중한 것은 가족
힘들 때 가족을 생각하면
힘이 되는 가족

가족을 위해
일을 해주시는 부모님
생각하면
눈물이 난다.

중학교, 고등학교, 대학교에
들어가기 위해
공부를 도와주시는 가족

가족은 나에게
힘이 되는 존재다.

우리 가족

선강현

아빠는
잠만보
하루 중 12시간을 주무시는
잠만보

엄마는
요리사
어떤 요리든
맛있게 만들어 주신다
쩝쩝

동생은
샘쟁이
엄마 나를 안아주시면
자기도 안아주라고 떼쓰는
샘쟁이

가족의 사랑

안수빈

따뜻하고 포근한
엄마의 사랑

푸르고 드넓은
아빠의 사랑

작고 소중한
동생의 사랑

엄마, 아빠, 동생에게
돌려줘야 할 건
사랑

'사랑이 잘 갔을까?'
걱정하던
찰나!
잘 받았다고 사랑이 온다.

가족

양태호

가족은 충전기이다.
힘을 주는
가족

가족은 교과서이다.
가르쳐 주는
가족

핵가족
이산가족
다문화가족
재혼가족
조손가족
확대가족
입양가족
한부모가족
모두 모두 소중한 가족

우리 가족

오누리

너무 화목한
우리 가족

맛있는 밥 해주시는
우리 엄마
냠냠 쩝쩝
맛있게 먹는다.

가끔 내가 만드는
밥도
냠냠 쩝쩝
맛있게 먹는다.

사이 좋은
우리 가족

동물 가족

이서율

이히힝 이히힝
아빠는 오늘도 달리시네.

꼬꼬댁! 꼬꼬댁!
엄마는 우릴 또 깨우시네.

느그적 느그적
누나는 오늘도 게으르네.

폴짝 폴짝
나는 오늘도 뛰다가 넘어지네.

감사한 우리 가족

임지호

요리를 잘하시는 우리 아빠,
가족을 위해 열심히 일해주셔서 감사해요!

웃는 얼굴이 예쁜 우리 엄마,
뜨개질 작품을 만들어 주셔서 감사해요!

만들기를 잘하는 우리 누나,
어려운 게 있을 때 도와줘서 고마워!

우리 가족의 여러 가지 소리

정유진

엄마는
샤악샤악 뽀드득
설거지

아빠는
하하하하
TV 소리

집안을 가득 채우는 소리

나는 방에서
쓱싹쓱싹
공부를 하지.

설거지 소리, TV 소리, 연필 소리로
집을 가득 채우지.

서로를 사랑하며 함께 배우는

아빠

최준현

일요일이 되면 바쁘신
우리 아빠

교회 가셔서 돌아오시고,
점심을 드신다.

엄마께서 돌아오시면
헐레벌떡
다시 교회로 가시고,

5시가 되면
헐레벌떡
세종시로 가시고,

어두운 밤이 되면
아빠가 보고 싶네

나의 캠핑 가족

하선우

캠핑 갈 때,
나의 가족은 말이야

아빠는 취~취~취
고기 굽는 소리

엄마는 펑!!!
텐트 치는 소리

나는 냠냠 쩝쩝
고기 먹는 소리

동생은 하하하
웃음소리

우리 가족은 캠핑 가족!

우리 가족의 요리

하지민

부글부글
아빠 '라면' 끓이시는 소리

탁탁 부글부글
엄마가 '김치찌개' 끓이는 소리

탕탕 지글지글
할머니께서 '튀김' 만드시는 소리

졸졸
할아버지께서 몸에 좋은
'홍삼즙' 만드시는 소리

오빠와 나는
만들 걸 먹기만 하네!!

곰 인형

황예린

우리 가족은
곰 인형

우리 엄마는
힘내라고 안아주는
곰 인형

우리 아빠는
따뜻한
곰 인형

우리 오빠는
힘들 때 업어주는
곰 인형

우리 가족은 포근한 곰 인형

우리의 만남

윤소희

엄마는 나를 만나면
안아주고
팔을 번쩍

아빠는 나를 만나면
내 이름을 힘껏
외친다.

나는……
뭘 할까?

흠?
나는 힘껏
안아줄 거야.

천장까지 들썩들썩

웃음소리

김유하

호호호~
이 큰 웃음소리는
아빠의 웃음소리
집 전체에 울리는 소리

하하하~
이 높은 웃음소리는
엄마의 웃음소리
우리도 웃게 하는 소리

히히히~
이 노래하는 웃음소리는
언니의 웃음소리
끝도 없는 웃음소리

여섯 번째 마음   **3**학년 **6**반

고운 말을 사용하며

더불어 살아가는 방법을 배우는 어린이

우리 가족

강채원

언제나 행복한
우리 가족

내가
정말
좋아하는
우리 가족

언제나
행복하고
모두를
배려하는
그런 가족
우리 가족

서로를 사랑하며 함께 배우는

행복

강하준

행복은 무엇일까?
친구와 놀 때?

아니다 난
가족과 같이 있고
놀 때다.

가족의 사랑

고서현

사탕처럼 달콤한 사랑
가족들이 주는 사랑
사랑 받고 주는 사랑

날이 가면 더욱더 커져만 가는 사랑
내가 크면 더 이상 못 크는 사랑

나도 아이 낳아서 주는 사랑

무지개 가족

고윤서

어떤 가족은 이불 같아
따뜻하게 안아주니까

어떤 가족은 활활 타오르는 불같아
가끔 화산처럼 폭발하겠지

그런데 우리 가족은 무지개 같아
가끔은 빨간색으로 물들어
나를 꼭 안아주면 생기는 주황색으로 자주 물들지
내가 아프면 노랑색으로 물들고
밥 잘 먹으면 쑥쑥 크라고 초록색 불
받아쓰기 백점 맞으면 파랑색
아빠 퇴근하고 같이 저녁 먹으면
보라색 물로 무지개가 만들어졌네
우리 가족은 무지개!

부모님

김시원

부모님은 방패이다.
방패같이 함께 있으면
든든한 부모님은 상담사다.
고민을 털어놓을 수 있는
무엇보다 부모님은 행복 바이러스다.
슬플 때, 화날 때, 기쁠 때 모두
같이 있으면 행복한 부모님

우리 가족

김준우

가족
우리들의
안식처

내 보금자리
내가
사랑하고
지켜야 하는 것이지
어린이한테는
특히 중요해
모두에게
소중한 존재지
네모난 아빠
뾰족한 엄마
사춘기 누나
모두 사랑하지

우리 가족

김지성

가족은 지구 같다
없으면 안 되니까

가족은 신 같다
먹을 것을 주고
집도 같이 쓰니까

서로를 사랑하며 함께 배우는

행복한 가족

김태양

매일매일
우리 가족은
싱글벙글
하하호호
웃는다.

매일매일
우리 가족은
오늘도
하하호호
웃는다.

모두 웃는 우리 가족

김한나

요리 잘하는 우리 엄마
청소 잘하는 우리 아빠
공부 잘하는 우리 언니
모두 특기가 팡팡이다

엄마는 요리 잘해서 싱글벙글
아빠는 청소 잘해서 깨끗깨끗
언니는 공부 잘해서 짝짝짝
모두 웃는 우리 가족

가족 노래

나하윤

우리 엄마 발 소리 또각또각
우리 아빠 박수 소리 짝짝짝
우리 오빠 피아노 소리 딴따단
내 노래 소리 랄랄라
모든 소리 모여 노래 만들어지네
가족의 화목한 노래
일상의 가족 소리가
예쁜 노래가 되네

우리 가족

노유주

어떨 때는 싸웠다가
어떨 때는 화해를 했다가
이렇게 갈팡질팡하는
내가 사랑하는 우리 가족

하지만 가족 중 한 명이 속상하면
모두 위로해 주고 응원해주는
마음씨 착하고 따뜻한 핫팩처럼
다독여 주는 우리 가족

내가 사랑하는 아끼는
우리 가족

행복 가족

민슬아

언제나 함께 있어 주는 가족
우리한테 힘을 주는 가족
항상 우리 편을 들어주는 가족
꼭 푹신푹신하고 편안한 배게 안으로
들어가서 잠을 자는 것처럼
편안하게 안아주시는 가족
우리에게 행복을 주는 가족

엄마는 변덕쟁이

박서진

엄마는 변덕쟁이다
공부를 잘하면 천사
공부를 못하면 호랑이
내가 밥을 다 먹으면 잘했다 하고
내가 밥을 다 못 먹으면
다 먹으라 하고 화를 낸다

그래도 마음 속에
우리 가족을 사랑하는 마음은
변덕쟁이가 아닌 거 같다

엄마

안희태

우리 엄마는 7시에 일어나
아침을 차리신다.
하지만 회사 일은 바쁘시다.
나는 학교 마치고 6시에 간다.
아빠는 늦으신다.
그러나 엄마는 운동을 자주 하셔서
늦게 들어오시는 날도 있다.
나는 꼬르륵 배가 고프다.
나는 꾹 참는다.
그러다 보면 엄마가 오신다.

투닥투닥 우리누나

엄우주

나랑 누나는 맨날 투닥투닥
싸움이 일어난다.
누나랑 날아 말싸움 하다보면
갑자기 엄마가 화내신다.

나는 맨날 싸우고 나면
이런 생각을 한다.
고슴도치처럼 성격이 까다로운
투닥투닥 우리누나.

서로를 사랑하며 함께 배우는

동생

오영민

동생은 나를 놀아주는 제2의 친구
동생은 귀엽고 애교를 부리는 사람
아무리 싸우고 다퉜다고 해도 동생
소중하기에 화해하고 보호해야 하는
소중하고 멋진 가족

소중함

우선아

어떨 땐 꽁꽁 얼어붙은 무서운 가족

어떨 땐 하하호호 즐거운 가족

많은 면의 가족을 스쳐온 우리 가족이지만
사랑하는 마음은 결코 변치 않아요.
아무리 내가 욕을 써도, 싸우고 와도
부모님은 언제나 우리를 사랑해요.

그렇지만
질질 인형처럼 부모님께 의존하지 말아요.
부모님 뒤에 숨겨진
한 명의 사람을 잊지 말아요.

서로를 사랑하며 함께 배우는

동생

이소윤

동생 동생 내 동생 짜증나는 내 동생
내 옆에 달아붙어 귀찮게 구는 내 동생
동생 동생 내 동생 웃긴 내 동생
꽈당 넘어지면 황당해하는 모습이 웃긴 내 동생
동생 동생 내 동생 귀여운 내 동생
가끔 짜증나기도 하지만 사랑스럽고
귀여운 우리 사랑둥이 내 동생
동생 동생 내 동생 배터리 내 동생

내가 힘들 때 나에게 배터리를 주는 내 동생
어떤 모습이든 사랑해~

아빠

이현채

아빠, 아빠 우리 아빠
장난꾸러기 우리 아빠
아빠, 아빠 우리 아빠
수염이 까칠한 우리 아빠
아빠, 아빠 우리 아빠
나를 잘 놀아주는 우리 아빠♡

우리 가족

정윤아

엄마
우리 가족의 밥과 집안일을
책임지는 소중하고 사랑하는 엄마

아빠
우리 가족의 돈을 책임지는
회사에 다니는 사랑하고 소중한 아빠

삼촌
우리 엄마의 피가 섞여 있는
사랑하는 삼촌

우리 가족과 멀리 떨어져 사는
친척들 모두 ♡해

동물 가족

최재후

어흥! 우리 엄마는 호라이
우리 아빠도 어흥! 호랑이다
형은 야옹~
살갑게 나를 맞이해주는 고양이
나는 왈왈 강아지
모습은 다르지만
다 같이 사는 멋진 가족이라네

친절한 가족

하원익

가족은 내 편
언제든지 내 말을 듣는다.
가족은 내 편
나와 놀아준다.

서로를 사랑하며 함께 배우는

일곱 번째 마음   **3**학년 **7**반

서로를 배려하며
몸과 마음이 건강한 어린이

제각각

강성수

우리 가족은
제각각의 일이 있다.

엄마께선 일어나서
집안 일을 하신다.

아빠께선 일어나서
자신의 일을 한다.

그리고 나는 일어나지 않으려고 한다.
그리고 지각을 한다.

우리 가족은 세다

강혜준

아빠는 힘이 세다.
-불끈 불끈

엄마는 뽀뽀가 세다.
-쪽!!

누나는 고집이 세다.
-아이폰! 아이폰 사주세요!

혜준이는 공부가 세다.
1+1=2

우리 가족은 모두 세다.
사랑해요. 우리 가족.

우리 가족의 아침 풍경

김민준

나는 학교에 가기 위해 바쁘다.
달그락달그락 필통 소리

엄마는 아침 식사 준비하느라 바쁘다.
칙칙! 밥이 되었습니다! 말하는 전기밥솥 소리

아빠께서는 출근 준비로 바쁘다.
츠크츠크츠크츠크 양치소리

오늘 아침도 우리 가족은 바쁘다.

바쁜 가족

김승준

아빠는 회사 때문에 바쁘다.
엄마도 집안일 때문에 바쁘다.
나도 숙제 때문에 바쁘다.
동생은 논다고 바쁘다.

그래서 우리 가족은 모두 모두 바쁘다.

언니와의 싸움

김지윤

내가 학원 마치고 집에 오면
-냠냠 쩝쩝
맛있는 간식을 먹는 언니 발견!

내가 하나만 달라고 하면
-안돼!

내가 짜증 내면
언니와의 싸움이 시작된다.
-투덜투덜

하지만 제일 소중하고 나랑 제일 친한
우리 언니

우리 가족의 취미

김태은

아빠는 운동을 열심히 열심히!
엄마는 신나는 노래 랄라랄라

동생은 슥슥슥 그림 그리기
나는 점프 폴짝 줄넘기

고양이는 뽁뽁뽁뽁 꾹꾹이 하기

모두 제각각이지만 사랑하는 마음만은
하나인 우리 가족

뚱땡이 가족

박서율

아빠가 음식을 먹을 땐
오물오물 꿀울꺽!

엄마가 음식을 먹을땐
쩝쩝쩝쩝 꾸울꺽!

내가 음식을 먹을땐
늄늄늄늄 꿀꺽!

동생이 음식을 먹을 땐
깨작깨작 꾸우울꺽!

다 같이 먹을 땐
냠냠냠냠 꾸우우울꺽!
끄어억!
트림이 쏵!

행복

박준서

나는 행복하다.
나는 엄마, 아빠의 사랑을 먹고
행복을 키운다.

우리 가족은 날 사랑한다.
나는 항상 행복하다.

우리 가족은 모두 행복하다.
우리 가족은 행복하고 기분이 좋은 가족이다.

오빠와의 싸움

백은서

아침에 일어나면
- 뭐! 왜 밀쳐!

학교 다녀왔다가
-엄마! 오빠 공부 안 해요.
-니가 무슨 상관이야!

자기 전에 씻을 때에도
-내가 먼저야!
-내가 먼저 왔어.

매일 매일 계속되는 오빠와의 싸움.

집이 텅텅

송동현

아빠는 회사 간다고 바쁘다.
동생은 유치원 간다고 바쁘다.
엄마는 장 본다고 바쁘다.
나는 학교, 학원 간다고 바쁘다.

그러면 집이 텅텅 빈다.
텅텅 빈 우리 집
밤이 되면 모두 돌아온다.

사랑하는 우리 가족

심재영

우리 가족은
항상 내 곁에 있어 준다.

우리 가족은
꼭 필요하고 없으면 안 되는 존재이다.

나는 우리 가족을
정말 많이 사랑한다.

잔소리

유지호

엄마가 공부하라고 잔소리

엄마가 게임 그만하라고 잔소리

집안에서 뛰지 말라고 잔소리

엄마가 친구들이랑 그만 놀라고 잔소리

엄마가 양말 뒤집어서 벗지 말라고 잔소리

엄마가 공부 좀 잘 해라고 잔소리

나를 위해주는
우리 엄마의 사랑이 쏙쏙 들어간
사랑하는 엄마의 잔소리

우당쾅쾅 아침

이로아

우리 가족 아침은 항상 우당쾅쾅
엄마는 출근 5분 뒤
-엄마 핸드폰 좀~

아빠는
-자 이제 나가볼까?
-아차차!!! 도시락 가방!!

나는 침대에서 꾸물꾸물
-5분만 더

동생은
-나 이거 말고 다른 치마!

그래서 우리 가족은 하루도 조용한 날이 없다.

방귀

이주원

아빠 방귀는 뿡뿡뿡
엄마 방귀는 뽕뽕뽕
형아 방귀는 빵빵빵
동생 방귀는 핑핑핑

내 방귀는 우르르쾅쾅

행복한 가족

이주혜

아빠의 웃음소리
-하하하
아빠는 티비 볼 때 웃는다.

엄마의 웃음소리
-호호호
엄마는 친구랑 카페에서 웃는다.

동생의 웃음소리
-히히히
동생은 칭찬 받으면 웃는다.

사랑하는 우리 가족 웃음 소리

아침 소리

이하운

내가 일어나면 아빠는
-철컥! 삐리리

엄마는 양치하고
-치카치카

오빠는 학교 가면서
-철컥! 삐리리

나는 세수하고
-어퓨 어퓨

나도 나가면서
-철컥! 삐리리

일하는 가족들

전서우

우리 형은 축구를 한다.
축구를 잘해서

우리 아빠는 운동을 한다.
살을 빼기 위해서

우리 엄마는 공부를 한다.
돈 벌려고

우리 할머니 요리를 한다.
우리에게 맛있는 밥을 주려고

나는 게임을 한다.
재미있으려고

우리 할아버지 윷놀이를 한다.
돈을 따려고
우리 가족은 모두 일을 한다.

잘 하는 것

전효서

아빠는 어려운 영어, 수학도 쏙쏙!
엄마는 지글지글 맛있는 요리도 뚝딱!

오빠는 재미있는 게임을 뿅뿅!
나는 예쁜 그림을 거침없이 쓱싹쓱싹!
여동생은 어려운 춤도 문제없이 빠빰!!

우리 가족은 잘하는 것이 많은 가족!

서로 잔소리

정현수

엄마는 공부하라고 잔소리.
아빠는 자라고 잔소리.

나는 아빠에게
담배 피지마라고 잔소리.

나는 엄마에게
맛있는 거 달라고 잔소리.

조용한 형제

조정흠

일어날 때 조용하고
밥 먹을 때도 조용하고
웃을 때도 조용하고
사이가 안 좋은 것도 아니다.

화나도 말을 하지 않는 우리
우리는 조용한 형제이다.

우리 가족 소개

최연우

아빠는 멋지고 재주가 많다.
집에 오면 엄청 귀여워지는
귀염둥이 아빠!

다정한 우리 엄마는
겨울이 되면 잠이 많아져서 계속 자는
잠꾸러기 엄마!

잠꾸러기 엄마는 건드리면 잔소리를
-다다다다!!

나에게는 최고인 우리 엄마, 아빠!

우리 가족은 해피해피

한소율

엄마가 다이어트를 하다가 음식을 먹으면
행복! 행복!
아빠는 당근 마켓에서 물건이 팔리면
행복! 행복!
내가 친구들과 함께 놀 때는
해피! 해피!
엄마가 강아지 베리에게 간식을 주면 베리는
해피! 해피!

매일 매일 우리 가족은 해피! 해피!

서로를 사랑하며 함께 배우는